4 zet de oven terug
naar 100°
en laat de pepernoten
in 20 minuten gaar
worden
5 haal de gare pepernoten
met een spatel van
het bak blik
Klaar! ...
en.....
strooien maar!

Kimio uitgeverij voor de allerkleinsten

Kimio uitgeverij maakt boeken voor de allerkleinsten. Een Kimioboek is een goed verzorgd boek met een stevig omslag. Het is gedrukt op mooi papier.

Een Kimioboek heeft veel illustraties en een tekst die nauwkeurig is afgestemd op de leeftijd van het kind. Een Kimioboek sluit aan bij wat kinderen meemaken en wat hen bezighoudt. Door de herkenning van situaties en gevoelens uit hun eigen leefwereld, reageren kinderen op het boek en ontstaat er een gesprek tussen kind en voorlezer. Zo wordt voorlezen samen lezen, praten en vertellen.

Kimioboeken zijn er speciaal voor de allerkleinsten, omdat je niet vroeg genoeg met goede boeken kunt beginnen.

Boris en opa
spelen sinterklaasje

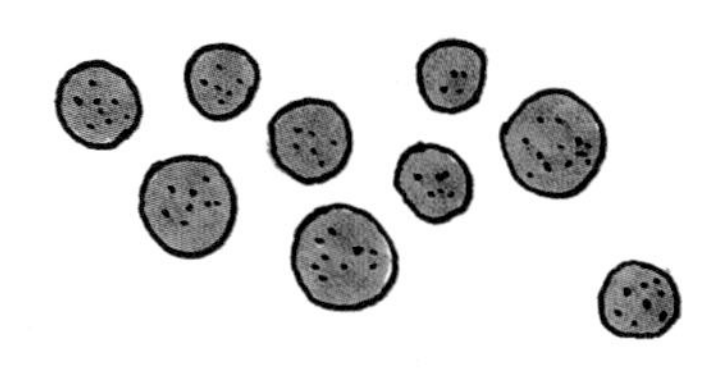
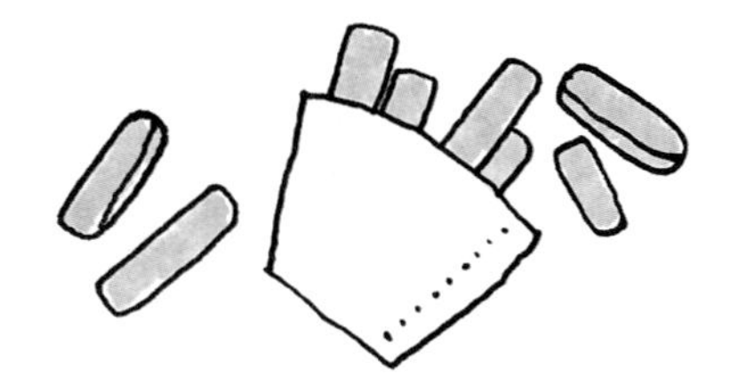

Geschreven door Marijke Aartsen

Geïllustreerd door Carin Vogtländer

Kimio uitgeverij
voor de allerkleinsten

Pietje Pepernoot

Het is koud en al bijna donker.
Boris en opa zitten samen op de bank.
Ze kijken naar tekenfilmpjes op de televisie.
Opeens zegt opa: 'Hoor jij dat ook, Boris?'
'Wat?' vraagt Boris. 'Ik hoor niks.'
'Ik dacht dat ik iets hoorde,' zegt opa. 'Het leek gesnik. Alsof er iemand huilt.'
Opa zet de tv uit. 'Luister nu eens heel goed, Boris.'
Snik, snik, hu hu, snik, snik.
Ja, nu hoort Boris het ook.

Boris loopt naar de voordeur en doet hem open.
In het donker ziet hij iets roods... hij ziet iets geels...
en hij ziet een grote veer.
'Het lijkt wel een zwarte piet,' zegt Boris.
'Het ís een zwarte piet,' zegt opa.
Hij loopt naar het pietje toe en tikt hem op zijn
schouder.
'Wat is er aan de hand, Piet?' vraagt opa. 'Waarom
zit jij hier te huilen?'
Het pietje gaat gewoon door met snikken.
Hij houdt een zak omhoog.

Boris en opa kijken naar de zak. De zak is leeg.
Opa kijkt nog eens goed.
'Er zit een gat in de zak, Boris,' zegt hij.
Dan begint het pietje te praten: 'Ik had een zak vol pepernoten, meneer.
Sinterklaas heeft gezegd, dat ik de pepernoten in de schoenen van de kinderen moest stoppen.
Maar nu is de zak leeg.
Ik heb alle pepernoten verloren.'

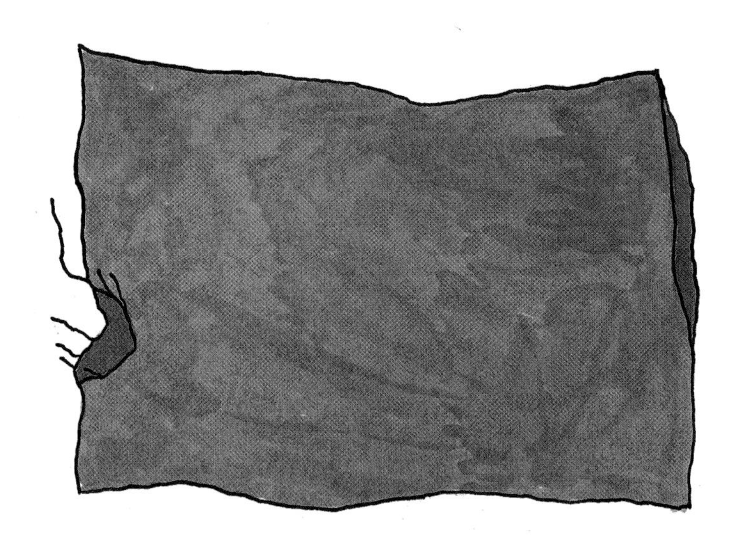

Het pietje begint weer te huilen.
Boris en opa bekijken de zak nog eens goed.
Inderdaad, er zit een groot gat in. Alle pepernoten
zijn door het gat naar buiten gerold.

'Oh,oh, wat moet ik nu toch doen?' jammert het pietje. 'De kinderen zetten straks hun schoen en ik kan er niks instoppen.'
'Nou nou, rustig maar, Piet,' zegt opa, 'we vinden wel een oplossing.
Kom maar even mee naar binnen.'

Piet komt de kamer binnen.
Boris kijkt naar hem. Hij vindt het zielig voor het pietje. Wat kunnen ze doen om hem te helpen?
Opeens krijgt hij een idee.
'Opa, wij kunnen toch nieuwe pepernoten bakken voor Piet?' zegt hij. 'Wij weten toch hoe dat moet?'
'Boris, wat een goed idee,' zegt opa, 'natuurlijk kunnen we dat doen!'

Opa pakt de naaidoos uit de kast.
'Piet, hier heb je naald en draad,' zegt hij tegen Zwarte Piet. 'Ga jij de zak maar dichtnaaien, dan gaan Boris en ik naar de keuken.'
Het pietje lacht. 'Wat fijn, dat jullie me willen helpen,' zegt hij blij.

Boris en opa gaan naar de keuken.
Ze doen meel, bruine suiker en boter in een kom.
Opa strooit er een beetje bruin poeder overheen.
'Ruik eens, Boris,' zegt hij.
'Hmmm,' zegt Boris.
Het poeder ruikt sterk, maar toch lekker.
'Hoe heet dat ook al weer, opa?' vraagt hij.
'Dat zijn speculaaskruiden,' zegt opa.
'Speculaaskruiden,' zegt Boris hem na.
Hij vindt het een mooi woord.
Opa kneedt het deeg en samen met Boris maakt hij een heleboel kleine balletjes.
Eén voor één leggen ze de balletjes op een bakplaat.
Als de bakplaat helemaal vol is, schuift opa hem in de oven.
'Zo,' zegt opa, 'en nu maar wachten tot ze klaar zijn.'

Terwijl de pepernoten in de oven liggen te bakken, drinken Boris, opa en Piet een beker warme chocolademelk.

Dan zijn de pepernoten klaar.
Mmmm, wat ruiken ze lekker.
'Piet, hou je zak maar open,' zegt opa en hij laat alle pepernoten in de zak glijden.
'Dank u wel, opa, dank je wel, Boris,' zegt het pietje.
Hij is nu niet meer verdrietig.
'Nu kan ik toch pepernoten in de schoenen van de kinderen stoppen,' zegt hij blij.

Die avond mag Boris zijn schoen zetten.

De volgende ochtend gaat hij kijken of er iets in zit.
En ja hoor, daar liggen ze, verse pepernoten.
'Die grote dikke heb ik gemaakt,' denkt Boris.

Dag Boris, dag opa, dag Pietje Pepernoot.

Dag Sinterklaasje

Boris komt opa's keuken binnen.
'Opa, kijk eens wat ik allemaal heb gekregen van Sinterklaas!' zegt hij.
Hij heeft een grote plastic tas bij zich vol met cadeautjes. Hij haalt ze één voor één tevoorschijn om ze aan opa te laten zien.
'Kijk opa, een vrachtauto. En een nieuwe rugzak voor de peuterklas. En ook nog stiften.'
'Tjonge jonge,' zegt opa, 'wat heeft Sinterklaas jou verwend! Hij vond natuurlijk dat jij zo prachtig sinterklaasliedjes kon zingen.'
'Ik denk 't,' zegt Boris.

'Wat is er met je handen gebeurd?' vraagt opa.
'Er staan allemaal strepen op. Je bent toch niet ziek?'
'Nee hoor,' zegt Boris, 'ik moest even proberen of de stiften het wel goed deden.'
'Oh, dat begrijp ik,' zegt opa, 'ga je handen dan nu maar even wassen.'

Boris klimt op een stoel voor het aanrecht.
Hij wast zijn handen met zeep.
Niet met een klein beetje zeep. Met heel veel zeep.
Met zoveel zeep dat zijn handen helemaal glad worden. Wat voelt dat lekker zacht.
En wat zien zijn handen er raar uit. Ze zijn helemaal wit geworden.
'Opa, kom eens kijken!' roept Boris. 'Ik heb sinterklaashanden!'
'Ik zie het,' zegt opa. 'Ze lijken net echt.'

‘Nu moet ik mijn sinterklaashoed nog op,’ zegt Boris.
‘Opa, wil jij hem pakken? Hij ligt op de bank.’
Opa pakt de hoed en zet hem op het hoofd van Boris.
‘Nu heb je sinterklaashanden én een sinterklaas-hoofd,’ zegt opa.
‘Laat mij eens kijken,’ zegt Boris.
Opa tilt Boris op en laat hem in de spiegel kijken.
Boris zwaait met zijn zeephanden.
Ze moeten allebei hard lachen.

'Spoel nu je handen maar af, Sinterklaas,' zegt opa.
Boris staat weer op de stoel voor het aanrecht.
Het water uit de kraan spoelt alle zeep van zijn handen.
Boris vindt het fijn met zijn handen onder de kraan.
Het water is niet warm en niet koud.
'De sinterklaashanden gaan helemaal weg,' zegt Boris. 'Sinterklaas is ook weg, hè opa?'
'Ja,' zegt opa, 'Sinterklaas zit nu weer op de boot naar Spanje.'

'Zullen wij boot gaan spelen, opa?' vraagt Boris.
'Goed idee,' zegt opa, 'dan is de bank de boot.'
Boris en opa schuiven de bank naar het midden van de kamer. Boris klimt erop. Hij zet de kussens tegen de zijleuningen.
Nu lijkt het net een echte boot.
'Ik ben Sinterklaas,' zegt Boris, 'en ik ga naar Spanje.'
Opa geeft Boris een hand en zegt: 'Zult u voorzichtig zijn, Sinterklaas?'
'Ja hoor,' zegt Sinterklaas Boris.
'Waar zijn uw pieten eigenlijk?' vraagt opa.
'Oh, die liggen allemaal te slapen,' zegt Sinterklaas Boris.
'Natuurlijk,' zegt opa, 'ze hebben ook zo hard gewerkt.'

'Nu gaat de boot vertrekken,' zegt Sinterklaas Boris,
'jij moet zwaaien, opa.'
'Dag, Sinterklaas, tot volgend jaar maar weer!' roept opa.
'Dag opa,' zegt Sinterklaas Boris, 'zult u lief zijn?'
'Ja, Sinterklaas, dat beloof ik,' zegt opa.
Daar gaat de boot met Sinterklaas Boris erop.
Opa zingt: 'Dag Sinterklaasje, daag, daag, daag, dag tot volgend jaar!'
Boris lacht en zingt: 'Dag lieve opa, daag, daag, daag, dag tot volgend jaar!'

Dan springt Boris van de bank en gooit zijn sinter-
klaashoed af.
'Nu ben ik weer Boris,' zegt hij.
'Goed,' zegt opa, 'ik heb trek gekregen. We gaan iets bakken. Wat heb je liever: pepernoten of patatjes?'
'Patatjes natuurlijk,' zegt Boris, 'mmmm, lekker!'

Dag Boris, dag opa, eet smakelijk!

Kijk... zó bak je patatjes....

nodig:
3 grote of 4 kleine aardappelen
koekenpan
olie
een opa die van patatjes houdt

1 schil de aardappelen en snijd ze in smalle reepjes

2 maak een flinke bodem olie goed heet in de koekenpan

3 doe de aardappelreepjes in de olie en laat ze enkele minuten zachtjes garen met een deksel op de pan